中国建筑学会标准

水泥基渗透结晶型防水材料应用技术标准

Application technical standard of cementitious capillary crystalline waterproofing materials

T/ASC 21－2021

批准单位：中国建筑学会

施行日期：2021年9月1日

中国建筑工业出版社

2021 北京

中国建筑学会标准
水泥基渗透结晶型防水材料应用
技 术 标 准
Application technical standard of cementitious capillary
crystalline waterproofing materials
T/ASC 21 - 2021
*
中国建筑工业出版社出版、发行（北京海淀三里河路9号）
各地新华书店、建筑书店经销
北京红光制版公司制版
北京建筑工业印刷厂印刷
*
开本：850毫米×1168毫米 1/32 印张：2 字数：51千字
2021年8月第一版 2022年6月第三次印刷
定价：22.00元
统一书号：15112·37459

本社网址：http://www.cabp.com.cn
网上书店：http://www.china-building.com.cn

中国建筑学会文件

建会标〔2021〕16号

关于发布中国建筑学会标准《水泥基渗透结晶型防水材料应用技术标准》的公告

现批准《水泥基渗透结晶型防水材料应用技术标准》为中国建筑学会标准，编号为T/ASC 21-2021，自2021年9月1日起实施。

中国建筑学会

2021年6月22日

前　言

本标准根据中国建筑学会《关于发布〈2019中国建筑学会标准研编计划（第一批）〉的通知》（建会标〔2019〕2号）的要求，由北京市建筑工程研究院有限责任公司、中国建筑学会建筑防水学术委员会、北京城荣防水材料有限公司会同有关单位编制完成。

在本标准编制过程中，编制组广泛调查研究和总结了水泥基渗透结晶型防水材料应用经验，参考了国内外有关标准，并在广泛征求意见基础上，对具体内容进行了反复讨论、协调和修改，最后经审查定稿。

本标准的主要技术内容包括：1 总则；2 术语；3 基本规定；4 材料；5 设计；6 施工；7 质量验收。

请注意本标准的某些内容可能涉及专利。本标准的发布机构不承担识别这些专利的责任。

本标准由中国建筑学会负责管理，由北京市建筑工程研究院有限责任公司负责具体技术内容的解释。执行过程中如有修改意见或建议，请寄送解释单位（地址：北京市复兴路34号，邮政编码：100039，电子邮箱 jzfs1992@163.com）。

本标准主编单位：北京市建筑工程研究院有限责任公司
中国建筑学会建筑防水学术委员会
北京城荣防水材料有限公司

本标准参编单位：北京澎内传国际建材有限公司
北京海川锦成科技有限公司
芜湖露盾新材料科技有限公司
西安华骏实业有限公司
上海凯顿百森建筑材料科技发展有限公司

上海三棵树防水技术有限公司
安徽朗凯奇建材有限公司
北京圣洁防水材料有限公司
苏州中材非金属矿工业设计研究院有限公司
安徽允升交通科技有限公司
福建省行东新材料科技有限公司
北京市建国伟业防水材料有限公司
郑州武水一和建筑工程有限公司
江苏盛和安建筑科技有限公司
西安信瑞通建筑工程有限公司
河南东骏建材科技有限公司
抑渗特（上海）材料科技有限公司
云南赛柏永固防水材料有限公司
武汉市奥黎特科技有限公司
河北中防建筑防水工程有限公司
武汉三源特种建材有限责任公司
北京思康博格科技发展有限公司
北京优固思科技有限公司
北京金禹华兴科技发展有限公司
盐城启明建材科技有限公司
西安尼沃特飞实业有限公司

本标准主要起草人员：曹征富　叶林标　章伟晨　高剑秋
乔君慧　岳晓红　胡曦林　孟禹杉
左勇志　沐　磊　蔡正伟　乔启信
康杰分　杜　昕　王玉峰　霍　龙
张二芹　方一苍　王桂明　杨希增
邓行船　范增昌　李广好　杨　浩
王　栋　向宗煜　丁保俊　付　群
黎邦华　柳天堂　徐　可　鲁德忠

马　静　王志强　徐海鹰　罗　琴
申一彤　刘世波　刘琦鹏　霍红利
曹云良　文建云　东胜军

本标准主要审查人员：沈春林　曲　慧　王海龙　冀文政
霍瑞琴　乔亚玲　刘丙宇

目　次

Contents

1 总　则

1.0.1 为规范水泥基渗透结晶型防水材料在工程中的应用，做到技术先进、质量可靠、经济合理及安全环保，制定本标准。

1.0.2 本标准适用于建筑、市政、水利、交通及海工工程等新建和既有混凝土结构采用水泥基渗透结晶型防水材料的防水工程。

1.0.3 水泥基渗透结晶型防水材料的应用除应符合本标准外，尚应符合国家现行有关规范的规定。

2 术　语

2.0.1 水泥基渗透结晶型防水材料　cementitious capillary crystalline waterproofing materials

用于混凝土防水、缺陷修补及堵漏的水泥基渗透结晶型防水涂料、水泥基渗透结晶型防水剂、混凝土缺陷修补用水泥基渗透结晶型材料和混凝土快速堵漏用水泥基渗透结晶型材料的统称。

2.0.2 水泥基渗透结晶型防水涂料　cementitious capillary crystalline waterproofing coating

以硅酸盐水泥、石英砂为主要成分，掺入一定量活性化学物质制成的、经与水拌合后调配成可刷涂或喷涂在水泥混凝土表面，亦可直接用于平面部位干撒施工的粉状材料。

2.0.3 水泥基渗透结晶型防水剂　cementitious capillary crystalline waterproofing admixture

以硅酸盐水泥和活性化学物质为主要成分制成的粉状材料，掺入防水混凝土拌合物中使用。

2.0.4 混凝土一般缺陷修补用水泥基渗透结晶型材料　cementitious capillary crystalline materials for repair of concrete general defects

用于混凝土结构孔洞、裂缝、蜂窝麻面、受损剥落等缺陷部位修补和施工缝、对拉螺栓孔等部位填充的水泥基渗透结晶型材料。

2.0.5 混凝土快速堵漏用水泥基渗透结晶型材料　cementitious capillary crystalline materials for rapid leakage-stopping of concrete

用于快速封堵有压力水的混凝土渗漏部位，以及需要混凝土快速凝固和迅速达到早期强度的渗透结晶型材料。

2.0.6 水泥基渗透结晶型防水涂料干撒施工工艺 dry spreading construction technology of cementitious capillary crystalline waterproofing coating

用于平面防水部位的一种施工方法，分先撒和后撒两种做法。

3 基本规定

3.0.1 采用水泥基渗透结晶型防水材料的混凝土结构防水工程，可以达到“不允许渗水，结构表面无湿渍”的防水标准。

3.0.2 水泥基渗透结晶型防水材料应按工程类型、使用部位和使用方法选用。

3.0.3 掺入水泥基渗透结晶型防水剂的防水混凝土，应做到配比准确、搅拌均匀、振捣密实、养护到位，强度、抗渗等级及细部构造应符合设计要求和相关标准规定。

3.0.4 水泥基渗透结晶型防水涂料可单独作为防水混凝土表面防水层。

3.0.5 采用水泥基渗透结晶型材料作为结构主防水措施的重大、特殊和技术复杂的防水工程，应组织专家进行专题论证。

4 材　　料

4.0.1 水泥基渗透结晶型防水涂料和防水剂的类型、规格、标记、外观应符合现行国家标准《水泥基渗透结晶型防水材料》GB 18445 的规定；混凝土缺陷修补用水泥基渗透结晶型材料和混凝土快速堵漏用水泥基渗透结晶型材料的类型、规格、标记、外观应符合现行国家标准《无机防水堵漏材料》GB 23440 的有关规定。

4.0.2 水泥基渗透结晶型防水材料使用前应取得具有相应资质的检验机构出具的材料性能检测报告。水泥基渗透结晶型防水涂料的主要性能指标应符合表 4.0.2-1 的规定，水泥基渗透结晶型防水剂的主要性能指标应符合表 4.0.2-2 的规定。

表 4.0.2-1　水泥基渗透结晶型防水涂料的主要性能指标

序号	试验项目		性能指标
1	外观		均匀、无结块
2	含水率（%）		≤1.5
3	细度，0.63mm 筛余（%）		≤5
4	氯离子含量（%）		≤0.10
5	施工性	加水搅拌后	刮涂无障碍
		20min	刮涂无障碍
6	抗折强度（MPa）（28d）		≥2.8
7	抗压强度（MPa）（28d）		≥15.0
8	湿基面粘结强度（MPa）（28d）		≥1.0
9	砂浆抗渗性能	带涂层砂浆的抗渗压力*（MPa）（28d）	报告实测值
		抗渗压力比（带涂层）（%）（28d）	≥250
		去除涂层砂浆的抗渗压力*（MPa）（28d）	报告实测值
		抗渗压力比（去除涂层）（%）（28d）	≥175

续表 4.0.2-1

序号	试验项目		性能指标
10	混凝土抗渗性能	带涂层混凝土的抗渗压力（MPa）（28d）	报告实测值
		抗渗压力比（带涂层）（%）（28d）	≥250
		去除涂层混凝土的抗渗压力*（MPa）（28d）	报告实测值
		抗渗压力比（去除涂层）（%）（28d）	≥175
		带涂层混凝土的第二次抗渗压力（MPa）（56d）	≥0.8

注：* 基准砂浆和基准混凝土 28d 抗渗压力应为 $0.4^{+0.00}_{-0.1}$MPa，并在产品质量检验报告中列出。

表 4.0.2-2　水泥基渗透结晶型防水剂主要性能指标

序号	试验项目		性能指标
1	外观		均匀、无结块
2	含水率（%）		≤1.5
3	细度，0.63mm 筛余（%）		≤5
4	氯离子含量（%）		≤0.10
5	总碱量（%）		报告实测值
6	减水率（%）		<8
7	含气量（%）		≤3.0
8	凝结时间差	初凝（min）	>−90
		终凝（h）	—
9	抗压强度比（%）	7d	≥100
		28d	≥100
10	收缩率比（%）（28d）		≤125
11	混凝土抗渗性能	防水剂混凝土的抗渗压力*（MPa）（28d）	报告实测值
		抗渗压力比（%）（28d）	≥200
		防水剂混凝土的第二次抗渗压力（MPa）56d	报告实测值
		第二次抗渗压力比（%）（56d）	≥150

注：* 基准砂浆和基准混凝土 28d 抗渗压力应为 $0.4^{+0.00}_{-0.1}$MPa，并在产品质量检验报告中列出。

4.0.3 混凝土缺陷修补用水泥基渗透结晶型材料主要性能指标应符合表 4.0.3-1 的规定，混凝土快速堵漏用水泥基渗透结晶型材料主要性能指标应符合表 4.0.3-2 的规定。

表 4.0.3-1 混凝土缺陷修补用水泥基渗透结晶型材料主要性能指标

<table>
<tr><th>序号</th><th colspan="2">试验项目</th><th>性能指标</th></tr>
<tr><td rowspan="2">1</td><td rowspan="2">凝结时间</td><td>初凝（min）</td><td>≥10</td></tr>
<tr><td>终凝（min）</td><td>≤360</td></tr>
<tr><td>2</td><td colspan="2">抗压强度（MPa）（3d）</td><td>≥13.0</td></tr>
<tr><td>3</td><td colspan="2">抗折强度（MPa）（3d）</td><td>≥3.0</td></tr>
<tr><td>4</td><td colspan="2">涂层抗渗压力（MPa）（7d）</td><td>≥0.4</td></tr>
<tr><td>5</td><td colspan="2">试件抗渗压力（MPa）（7d）</td><td>≥1.5</td></tr>
<tr><td>6</td><td colspan="2">粘结强度（MPa）（7d）</td><td>≥0.6</td></tr>
<tr><td>7</td><td colspan="2">耐热性（100℃，5h）</td><td>无开裂、起皮、脱落</td></tr>
<tr><td>8</td><td colspan="2">冻融循环（20 次）</td><td>无开裂、起皮、脱落</td></tr>
<tr><td>9</td><td colspan="2">外观</td><td>色泽均匀，无杂质、无结块</td></tr>
</table>

表 4.0.3-2 混凝土快速堵漏用水泥基渗透结晶型材料主要性能指标

<table>
<tr><th>序号</th><th colspan="2">试验项目</th><th>性能指标</th></tr>
<tr><td rowspan="2">1</td><td rowspan="2">凝结时间</td><td>初凝（min）</td><td>≤5</td></tr>
<tr><td>终凝（min）</td><td>≤10</td></tr>
<tr><td rowspan="2">2</td><td rowspan="2">抗压强度（MPa）</td><td>1h</td><td>≥4.5</td></tr>
<tr><td>3d</td><td>≥15.0</td></tr>
<tr><td rowspan="2">3</td><td rowspan="2">抗折强度（MPa）</td><td>1h</td><td>≥1.5</td></tr>
<tr><td>3d</td><td>≥4.0</td></tr>
<tr><td>4</td><td colspan="2">试件抗渗压力（MPa）（7d）</td><td>≥1.5</td></tr>
<tr><td>5</td><td colspan="2">粘结强度（MPa）（7d）</td><td>≥0.6</td></tr>
<tr><td>6</td><td colspan="2">耐热性（100℃，5h）</td><td>无开裂、起皮、脱落</td></tr>
<tr><td>7</td><td colspan="2">冻融循环（20 次）</td><td>无开裂、起皮、脱落</td></tr>
<tr><td>8</td><td colspan="2">外观</td><td>色泽均匀，无杂质、无结块</td></tr>
</table>

4.0.4 采用水泥基渗透结晶型防水材料的防水工程中，其他防水密封材料的性能指标应符合设计要求和国家有关标准的规定。

5 设　　计

5.1 一 般 规 定

5.1.1 采用水泥基渗透结晶型防水材料的防水工程设计应包括以下内容：

1 防水设防要求。

2 防水构造。

3 细部构造防水密封措施。

4 防水、密封材料要求。

5 其他相关构造。

5.1.2 水泥基渗透结晶型材料防水层应形成连续、闭合的防水构造，细部应采用多道复合防水加强措施。

5.1.3 水泥基渗透结晶型防水材料选用应符合下列规定：

1 水泥基渗透结晶型涂料防水层可设置在结构迎水面，亦可设置在结构背水面。

2 水泥基渗透结晶型防水剂适用于掺入防水混凝土拌合物中。

3 混凝土缺陷修补和对拉螺栓孔等部位封堵，可选用混凝土缺陷修补用水泥基渗透结晶型材料和混凝土快速堵漏用水泥基渗透结晶型材料。

4 混凝土渗漏处理应选用混凝土快速堵漏用水泥基渗透结晶型材料。

5.1.4 水泥基渗透结晶型防水涂料与其他防水材料复合使用时应符合下列规定：

1 材料之间应具有相容性。

2 水泥基渗透结晶型涂料防水层应设置在混凝土结构表面。

3 水泥基渗透结晶型涂料防水层上不宜进行热熔法作业。

5.1.5 水泥基渗透结晶型防水材料用量应符合下列规定：

1 水泥基渗透结晶型防水涂料用于混凝土结构表面涂布时，材料用量应符合设计及产品说明书要求。

2 水泥基渗透结晶型防水涂料用于混凝土结构平面干撒施工时，材料用量不应小于 1.5kg/m^2。

3 水泥基渗透结晶型防水剂掺入防水混凝土拌合物中使用时，防水剂掺量应符合设计及产品说明书要求，并应通过试验确定配合比，达到防水混凝土质量和混凝土抗渗等级设计要求。

4 水泥基渗透结晶型防水剂掺入水泥砂浆防水层中使用时，防水剂掺量应符合设计及产品说明书要求。

5 混凝土缺陷修补和快速堵漏时，水泥基渗透结晶型材料的用量应根据工程实际需要和产品说明书使用要求确定。

5.2 地下防水工程

5.2.1 地下工程的防水设防应根据工程的结构形式、特点、重要性和施工方法等因素确定。采用水泥基渗透结晶型防水材料的地下工程防水构造做法宜按表 5.2.1 选用。

表 5.2.1 地下工程防水构造做法选用表

构造编号	构造做法	防水要求
底板 1	防水混凝土底板内掺水泥基渗透结晶型防水剂	不允许渗水，结构表面无湿渍
底板 2	防水混凝土底板＋迎水面干撒水泥基渗透结晶型防水涂料	
底板 3	防水混凝土底板＋背水面涂布水泥基渗透结晶型防水涂料	
底板 4	防水混凝土底板＋背水面干撒水泥基渗透结晶型防水涂料随撒随抹	
侧墙 1	防水混凝土侧墙内掺水泥基渗透结晶型防水剂	
侧墙 2	防水混凝土侧墙＋迎水面涂布水泥基渗透结晶型防水涂料	

续表 5.2.1

构造编号	构造做法	防水要求
侧墙 3	防水混凝土侧墙＋背水面涂布水泥基渗透结晶型防水涂料	不允许渗水，结构表面无湿渍
顶板 1	防水混凝土顶板内掺水泥基渗透结晶型防水剂	
顶板 2	防水混凝土顶板＋迎水面干撒水泥基渗透结晶型防水涂料随撒随抹	
顶板 3	防水混凝土顶板＋迎水面涂布水泥基渗透结晶型防水涂料	
种植顶板 1	防水混凝土顶板内掺水泥基渗透结晶型防水剂	
种植顶板 2	防水混凝土顶板＋迎水面涂布水泥基渗透结晶型防水涂料	
种植顶板 3	防水混凝土顶板＋迎水面干撒水泥基渗透结晶型防水涂料随撒随抹	

5.2.2 逆作法施工和叠合式结构的地下工程防水宜选用在防水混凝土内掺水泥基渗透结晶型防水剂的防水构造做法。

5.2.3 附建式全地下或半地下工程的防水设防高度，高出室外地坪完成面不应小于 300mm。

5.2.4 变形缝应采用中埋式止水带、外贴式止水带、缝口嵌填建筑密封胶及预埋注浆管等多道设防措施(图 5.2.4-1～图 5.2.4-3)。

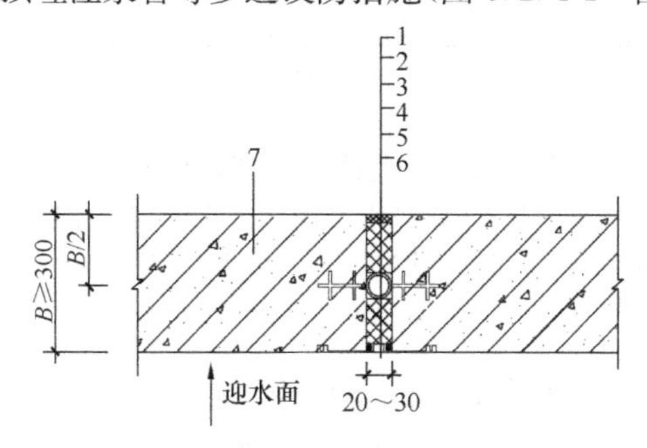

图 5.2.4-1　底板变形缝防水构造

1—建筑密封胶；2—背衬材料；3—填缝材料（上部）；4—中埋式止水带；5—填缝材料（下部）；6—外贴式止水带；7—混凝土底板

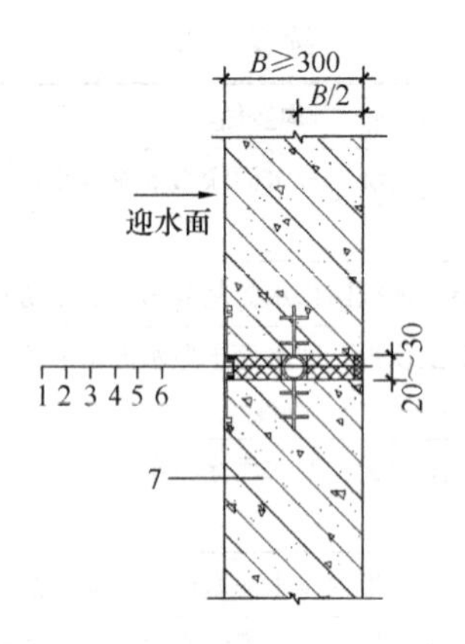

图 5.2.4-2　侧墙变形缝防水构造

1—外贴式止水带；2—填缝材料（迎水侧）；3—中埋式止水带；
4—填缝材料（背水侧）；5—背衬材料；6—建筑密封胶；
7—混凝土侧墙

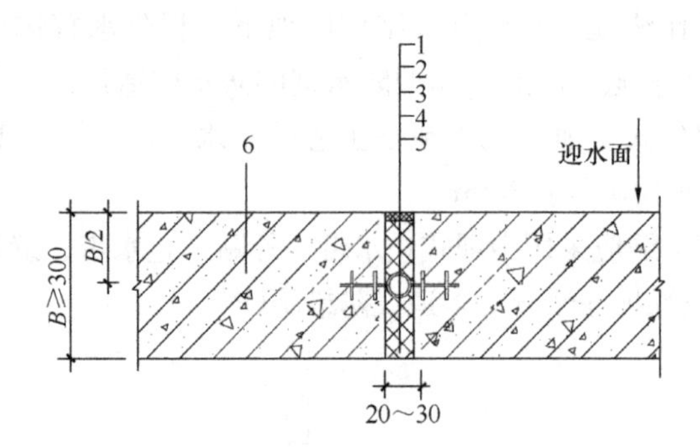

图 5.2.4-3　顶板变形缝防水构造

1—建筑密封胶；2—背衬材料；3—填缝材料（上部）；
4—中埋式止水带；5—填缝材料（下部）；
6—混凝土顶板

5.2.5　后浇带防水构造应符合下列规定：

1　施工缝部位应涂刷水泥基渗透结晶型防水涂料，缝口应预留宽 20mm、深 25mm 凹槽，凹槽内应嵌填混凝土缺陷修补用水泥基渗透结晶型材料。

2 顶板后浇带的迎水面应涂刷水泥基渗透结晶型防水涂料（图 5.2.5-1）。

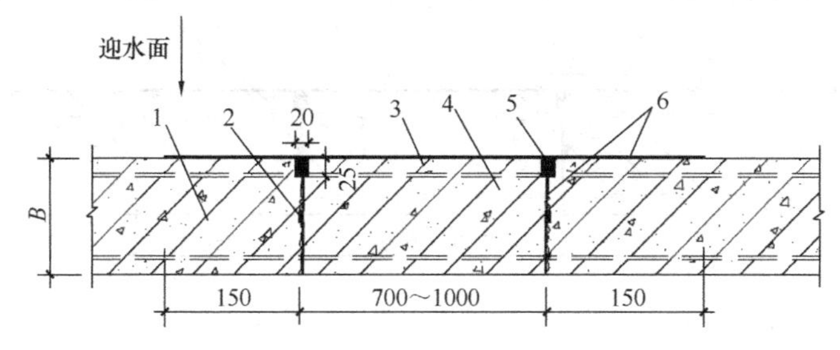

图 5.2.5-1 顶板后浇带防水构造
1—先浇混凝土；2—遇水膨胀止水条（胶）；3—结构主筋；
4—后浇补偿收缩混凝土内掺水泥基渗透结晶型防水剂；
5—水泥基渗透结晶型混凝土缺陷修补材料；
6—水泥基渗透结晶型防水涂料

3 侧墙后浇带的迎水面或背水面应涂刷水泥基渗透结晶型防水涂料（图 5.2.5-2）。

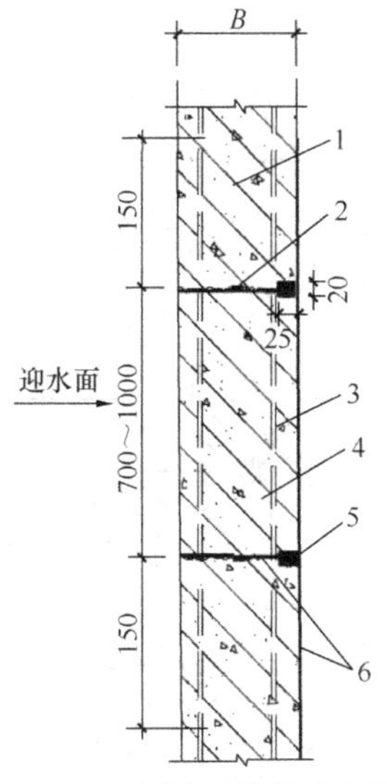

图 5.2.5-2 侧墙后浇带防水构造
1—先浇混凝土；2—遇水膨胀止水条（胶）；3—结构主筋；
4—后浇补偿收缩混凝土内掺水泥基渗透结晶型防水剂；
5—水泥基渗透结晶型混凝土缺陷修补材料；
6—水泥基渗透结晶型防水涂料

4 底板后浇带的迎水面应干撒或在背水面涂刷水泥基渗透结晶型防水涂料（图 5.2.5-3）。

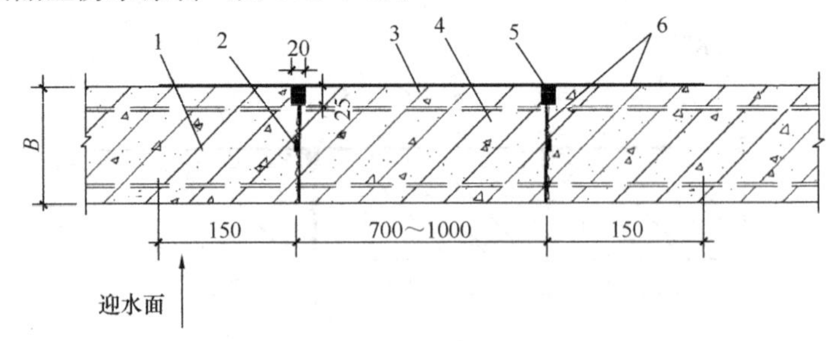

图 5.2.5-3 底板后浇带防水构造

1—先浇混凝土；2—遇水膨胀止水条（胶）；3—结构主筋；
4—后浇补偿收缩混凝土内掺水泥基渗透结晶型防水剂；
5—水泥基渗透结晶型混凝土缺陷修补材料；
6—水泥基渗透结晶型防水涂料

5.2.6 施工缝防水构造（图 5.2.6）应符合下列规定：

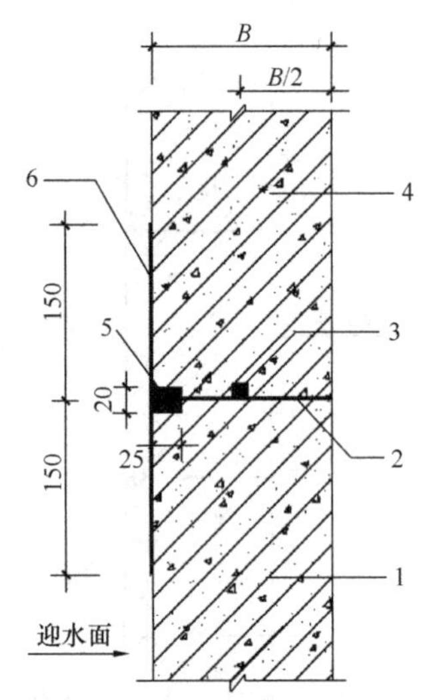

图 5.2.6 施工缝防水构造

1—先浇混凝土；2—水泥基渗透结晶型防水涂料；3—遇水膨胀止水条（胶）；
4—后浇混凝土；5—水泥基渗透结晶型混凝土缺陷修补材料；
6—水泥基渗透结晶型涂料附加层

1 界面应涂刷水泥基渗透结晶型防水涂料。

2 缝内应设置遇水膨胀止水条（胶）。

3 缝口宜预留宽 20mm、深 25mm 凹槽，凹槽内应嵌填混凝土缺陷修补用水泥基渗透结晶型材料。

4 缝两侧应分别涂刷宽度不小于 150mm 水泥基渗透结晶型防水涂料附加层。

5.2.7 模板对拉螺栓头部位防水构造（图 5.2.7）应符合下列规定：

1 螺栓头周围应预留凹槽，凹槽内表面应涂刷水泥基渗透结晶型防水涂料，并应采用水泥基渗透结晶型混凝土缺陷修补材料嵌填密实、平整。

2 凹槽周围应涂刷宽度不小于 150mm 水泥基渗透结晶型防水涂料附加层。

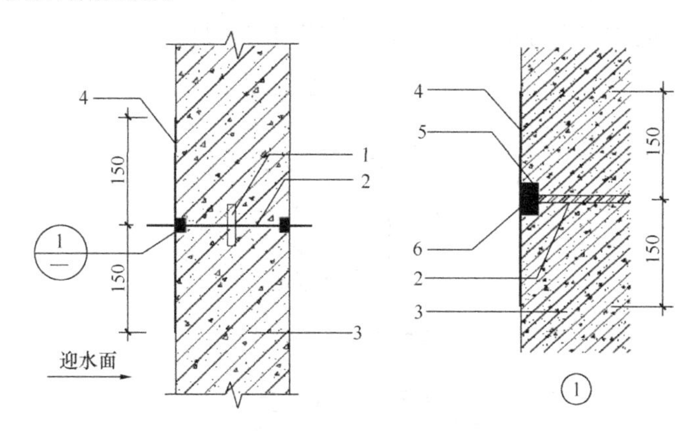

图 5.2.7 模板对拉螺栓头部位防水构造

1—止水钢板；2—穿墙螺栓；3—混凝土外墙；4—水泥基渗透结晶型涂料附加层；5—水泥基渗透结晶型防水涂料；6—水泥基渗透结晶型混凝土缺陷修补材料

5.2.8 桩头（图 5.2.8）及周围垫层 150mm 范围内应涂刷水泥基渗透结晶型防水涂料，桩基受力筋与桩头结合部位应采用遇水膨胀止水条（胶）作止水处理。

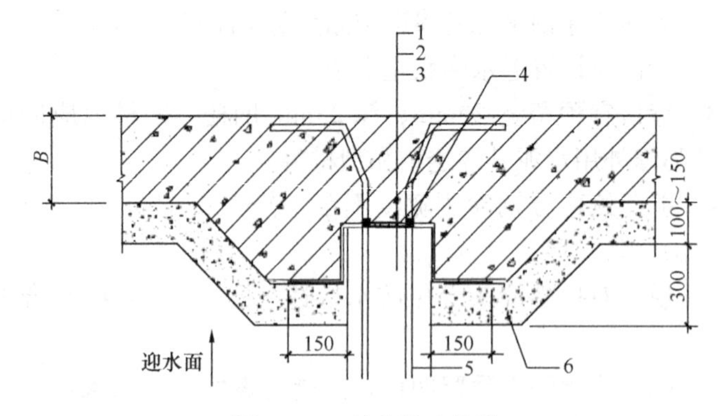

图 5.2.8 桩头防水构造

1—底板混凝土结构；2—水泥基渗透结晶型防水涂料；3—混凝土桩头；4—遇水膨胀止水条（胶）；5—桩基受力筋；6—混凝土垫层

5.2.9 穿墙管（图 5.2.9）周围应采用柔性防水涂料作防水附加层，附加层在穿墙管上收头部位应固定密封。

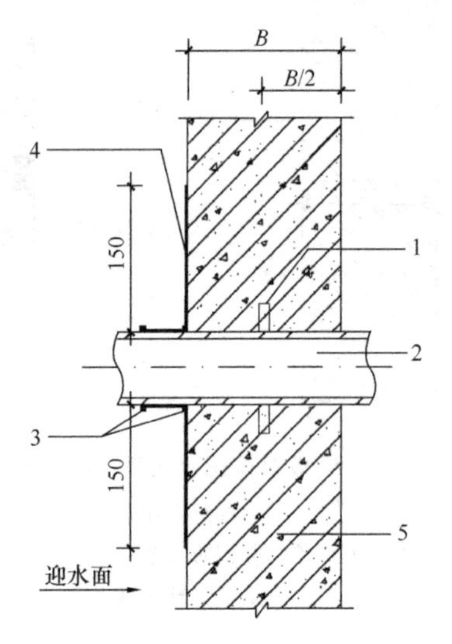

图 5.2.9 穿墙管防水构造

1—止水环；2—主管；3—密封材料；4—柔性防水涂料；5—混凝土结构

5.2.10 设置在底板以下的坑、池、沟（图 5.2.10），应采用防水

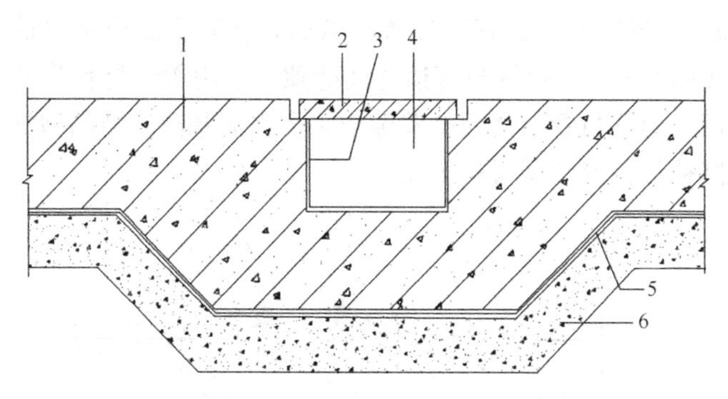

图 5.2.10　底板下坑、池、沟防水构造

1—底板混凝土结构；2—盖板；3—水泥基渗透结晶型涂料防水层；
4—坑、池、沟；5—主体结构防水层；6—混凝土垫层

混凝土整体现浇结构，内侧应设水泥基渗透结晶型涂料防水层。

5.2.11　有降水要求的地下工程，防水层施工期间地下水位应低于垫层不小于 500mm；无降水要求的地下工程，基坑设置的雨水排水沟应低于垫层不小于 300mm。

5.3　室内防水工程

5.3.1　室内防水工程设计应根据工程特点，满足使用要求。采用水泥基渗透结晶型防水材料的室内工程防水构造做法宜按表 5.3.1 选用。

表 5.3.1　室内工程防水构造做法选用表

构造编号	构造做法
楼地面 1	防水混凝土楼地面内掺水泥基渗透结晶型防水剂
楼地面 2	现浇混凝土楼地面＋面层干撒水泥基渗透结晶型防水涂料随撒随抹
楼地面 3	现浇混凝土楼地面＋面层涂刷水泥基渗透结晶型防水涂料
墙面 1	防水混凝土墙体内掺水泥基渗透结晶型防水剂
墙面 2	现浇混凝土墙体＋面层涂刷水泥基渗透结晶型防水涂料
墙面 3	砌体墙＋内掺水泥基渗透结晶型防水剂的水泥砂浆防水层内夹钢丝网或抗裂纤维

5.3.2 穿透防水层的管道设置套管时，套管宜高出地（墙）面的完成面 20mm，套管与管道之间缝隙应采用柔性材料作防水密封处理，套管与管洞之间的缝隙应采用水泥基渗透结晶型混凝土缺陷修补材料或堵漏材料嵌填密实（图 5.3.2）。

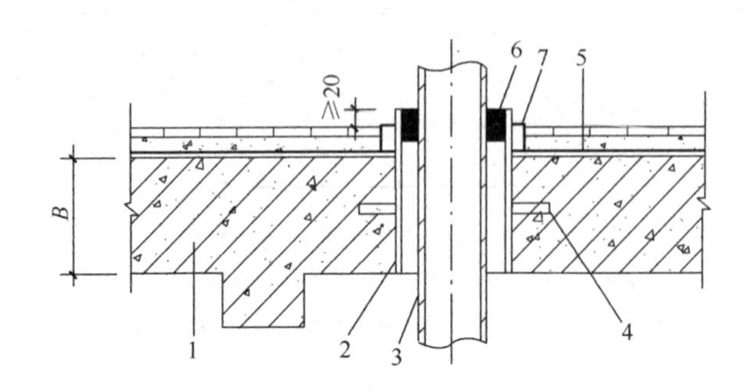

图 5.3.2　套管防水构造

1—混凝土结构；2—套管；3—主管；4—止水环；
5—水泥基渗透结晶型涂料防水层；6—柔性密封材料；
7—水泥基渗透结晶型混凝土缺陷修补材料或堵漏材料

5.3.3 防水区域有暗埋管道时，水泥基渗透结晶型涂料防水层应设在管道背面的防水基层上，并应与墙、地面连接成整体防水层（图 5.3.3）。

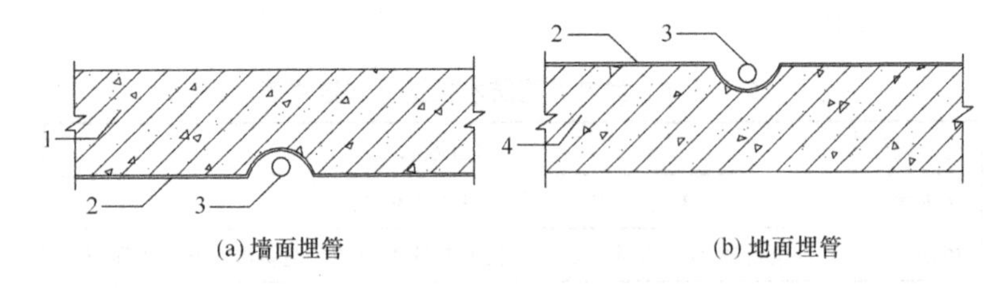

图 5.3.3　墙、地面暗埋管道部位防水构造

1—墙体混凝土结构；2—水泥基渗透结晶型涂料防水层；
3—暗埋管道；4—地板混凝土结构

5.3.4 室内有防水要求的楼地面防水构造应符合下列规定：

1 排水坡度宜为0.5%～1%，坡向地漏或排水口，地漏或排水口应设在地面最低处。

2 防水楼地面的完成面宜低于相邻空间地面20mm。

3 干湿区域分界部位构造层应具备挡水、防渗功能，防水层以上的垫层及块体材料的粘结层应内掺水泥基渗透结晶型防水剂（图5.3.4-1）。

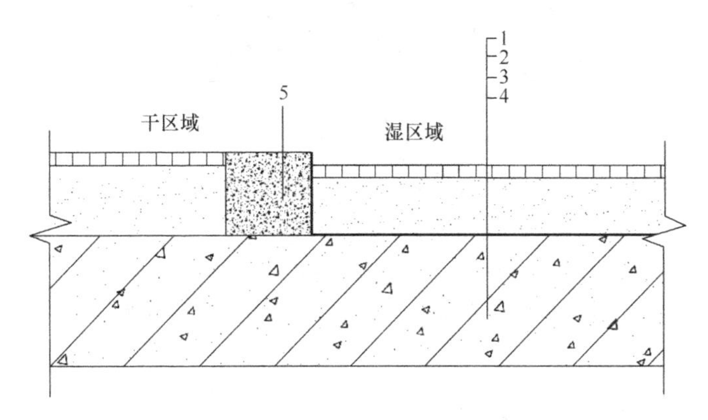

图5.3.4-1 干湿区域分界部位防水构造

1—面砖；2—水泥砂浆或混凝土垫层；3—防水层；
4—混凝土结构；5—挡水坎

4 防水区域设有填充层或地暖的楼地面，应设置两道防水层。第一道防水层宜采用水泥基渗透结晶型涂料防水层，应设置在楼地面结构层上；第二道防水层应采用柔性材料防水层，应设置在填充层的找平层或地暖的细石混凝土保护层的上面；两道防水层在墙面部位应连接闭合（图5.3.4-2、图5.3.4-3）。

5.3.5 室内防水设防高度应符合下列规定：

1 淋浴房、公共厨房操作间的墙体防水设防高度应到顶板部位。

2 拖布池临墙部位的防水设防高度不宜低于900mm。

3 洗手台临墙部位的防水设防高度不宜低于1100mm。

4 其他部位墙面防水高度不应低于250mm。

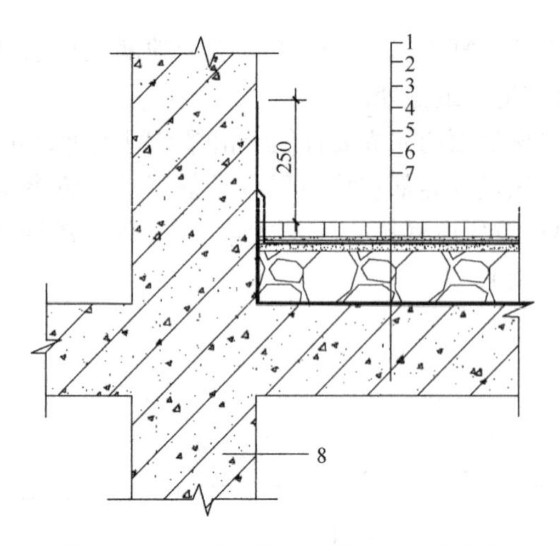

图 5.3.4-2　设置填充层楼地面防水构造

1—面砖；2—面砖粘结层与防水保护层；3—柔性材料防水层；
4—找平层；5—填充层；6—水泥基渗透结晶型涂料防水层；
7—楼地面混凝土结构；8—墙体混凝土结构

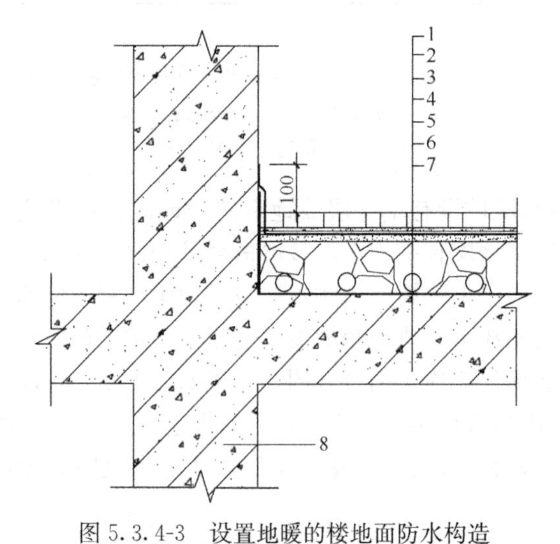

图 5.3.4-3　设置地暖的楼地面防水构造

1—面砖；2—面砖粘结层与防水保护层；3—卷材或柔性涂料防水层；
4—细石混凝土保护层；5—散热管；6—水泥基渗透结晶型涂料防水层；
7—楼地面混凝土结构；8—墙体混凝土结构

5.3.6 淋浴房、公共厨房操作间的顶板应采用水泥基渗透结晶型防水涂料作防潮处理。

5.4 水池防水工程

5.4.1 水池工程应根据工程类型、特点和使用要求进行防水设计，采用水泥基渗透结晶型防水材料的水池工程防水构造做法宜按表 5.4.1 选用。

表 5.4.1 水池工程防水构造做法选用表

构造编号	构造做法
水池 1	池体防水混凝土内掺水泥基渗透结晶型防水剂
水池 2	防水混凝土池体＋迎水面涂刷水泥基渗透结晶型防水涂料
水池 3	防水混凝土池体＋迎水面内掺水泥基渗透结晶型防水剂的水泥防水砂浆

5.4.2 水池池底设置管道层时，防水构造应符合下列规定：

1 应设置两道防水层。

2 第一道防水层应采用水泥基渗透结晶型防水涂料或内掺水泥基渗透结晶型防水剂的水泥防水砂浆，并应设置在管道层下面的池底结构层上。

3 第二道防水层应采用柔性材料防水层，并应设置在池底装饰层以下、管道层以上的部位。

4 两道防水层在池壁部位应连接闭合，并应与水池防水层连接成整体。

5 管道层应设置排水措施。

5.4.3 穿透池体的管道周围应采用柔性防水密封材料作防水增强处理。

5.5 其他防水工程

5.5.1 采用水泥基渗透结晶型防水材料的桥梁、水利、海工等工程，应根据工程类型、特点和使用要求进行防水设计，防水构造做法宜按表5.5.1选用。

表5.5.1 桥梁、水利、海工等工程防水构造做法选用表

类型	编号	构造做法
桥梁、水利、海工	1	防水混凝土结构内掺水泥基渗透结晶型防水剂
	2	防水混凝土结构＋迎水面涂刷水泥基渗透结晶型防水涂料

5.5.2 桥梁、水利、海工等工程细部防水构造做法应符合国家现行有关标准的规定。

5.6 修补堵漏工程

5.6.1 水泥基渗透结晶型防水材料用于地下工程、隧道、水池等防水工程中的修补堵漏时，应编制技术方案，且技术方案应包括以下内容：

1 工程概况。

2 缺陷原因。

3 材料选用要求。

4 修补堵漏方法步骤与技术要求。

5 质量要求。

6 安全要求。

7 其他相关事项。

5.6.2 大于0.2mm的混凝土裂缝及孔洞、蜂窝麻面等缺陷，可选用水泥基渗透结晶型防水涂料、水泥基渗透结晶型混凝土缺陷修补和快速堵漏材料修补；浇筑不密实的混凝土缺陷，可选用内掺水泥基渗透结晶型防水剂的防水混凝土修补。

5.6.3 封堵正在渗漏的部位时，宜采用临时引水、排水措施。混凝土结构渗漏，在背水面采用长期排水措施时不得引起地表沉降、水土流失和影响结构耐久性。

6 施　　工

6.1 一般规定

6.1.1 采用水泥基渗透结晶型防水材料的防水工程施工应由专业施工队伍承担，操作人员应经专业培训合格后上岗。

6.1.2 专业施工队伍应根据设计要求编制防水施工方案，经监理单位或建设单位等审核后实施，实施前应对操作人员进行安全培训和技术交底。

6.1.3 进入现场的水泥基渗透结晶型防水材料，应有出厂合格证、技术性能检测报告和相关质量证明资料，并应进行见证抽样复验，复验合格后方可使用。

6.1.4 水泥基渗透结晶型防水涂料基层应符合下列规定：

1 基层应坚实、平整、干净，混凝土表面应打磨或高压水枪清洗处理。

2 混凝土结构缺陷修补应符合本标准第5.6.2条的规定。

3 突出的钢筋头切割后应低于基面10mm～20mm，并应用水泥基渗透结晶型混凝土缺陷修补或快速堵漏材料修补抹平。

4 基层应润湿，但不得有明水；有渗漏水的基层，应先采用水泥基渗透结晶型快速堵漏材料进行封堵处理。

5 穿过防水层的管道、预埋件、设备基座等应在防水层施工前埋设和安装完毕，管道与结构间的缝隙应用内掺水泥基渗透结晶型防水剂的细石混凝土、水泥灌浆料或防水砂浆堵严。

6.1.5 水泥基渗透结晶型防水涂料的施工应符合下列规定：

1 水泥基渗透结晶型防水涂料的浆料应在施工现场配制，将粉料、水按产品说明书和设计要求的比例混合，采用机械充分搅拌均匀，无粉团、无结块；配制好的浆料宜在20min内用完，在施工过程中应进行搅动，且不得任意加水。

2 采用涂刷法施工时，涂层应多遍涂刷完成，涂刷应均匀，不得漏刷漏涂。后一遍涂层应在前一遍涂层指触不粘或按产品说明书要求的间隔时间进行，每遍应交替改变涂刷方向。

3 采用喷涂法施工时，平面应由前向后施工，立面应由上向下施工，喷枪的喷嘴应垂直于基面，可一次喷涂至设计要求厚度。

4 采用干撒方法施工时，水泥基渗透结晶型防水涂料干撒均匀，用量应符合设计要求，干撒后，应避免被水浸泡和雨水冲、淋。

5 水泥基渗透结晶型涂料防水层的养护应在涂层初凝后、终凝前进行，应采用喷雾状水保湿养护，不得采用浇水、淋水、蓄水等方法，养护时间不应小于72h；在封闭的潮湿空间内无需喷雾养护。

6.1.6 水泥基渗透结晶型防水剂施工应符合下列规定：

1 防水混凝土和防水砂浆内掺水泥基渗透结晶型防水剂可在搅拌站或施工现场进行，并应搅拌均匀；内掺前应做配合比试验，水泥基渗透结晶型防水剂的掺加量应符合本标准第5.1.5条的有关规定。

2 采用混凝土搅拌站添加水泥基渗透结晶型防水剂的施工方法时，应将防水剂与混凝土干混料在搅拌仓搅拌2min～3min，再加入水拌和均匀。

3 采用混凝土搅拌运输车到达工地现场添加水泥基渗透结晶型防水剂时，添加后的搅拌时间不应小于5min。

4 内掺水泥基渗透结晶型防水剂的防水混凝土浇筑施工应符合国家现行有关标准规定。

5 防水混凝土终凝后应及时采用洒水、覆盖、喷涂养护剂等方式进行保湿养护，养护时间不应小于14d；大体积混凝土养护时间应符合设计要求。

6.1.7 水泥基渗透结晶型防水材料施工的机具宜包括下列内容：

1 基层处理与清理机具，包括电镐、吹风机、吸尘器、铲刀、铁锤、铁凿、扫帚、抛丸机、高压水枪等。

2 浆料制备与涂布机具，包括料桶、电动搅拌器、毛刷、专用尼龙刷、半硬棕刷、橡胶刮板、喷涂机等。

3 计量、测量工具，包括卷尺、计量器具等。

4 养护机具包括喷雾器具等。

6.1.8 施工环境应符合下列规定：

1 水泥基渗透结晶型防水涂料施工环境温度宜为 5℃～35℃，5℃以下不宜进行水泥基渗透结晶型防水涂料湿作业施工，冬期施工应采取保温措施。

2 水泥基渗透结晶型防水剂施工环境温度应符合混凝土施工环境温度的要求。

3 不得在雨天、四级风以上天气进行露天作业。

6.2 地下防水工程

6.2.1 地下工程基坑降水、排水应符合本标准第 5.2.11 条的规定，不得带水进行防水施工。

6.2.2 底板迎水面干撒水泥基渗透结晶型防水涂料施工，宜在底板混凝土浇筑前 1h～2h 进行；底板背水面和顶板迎水面干撒水泥基渗透结晶型防水涂料施工，应在混凝土初凝前随撒随抹。

6.3 室内防水工程

6.3.1 防水施工时应先对阴阳角、预埋件、穿墙管、地漏等部位进行加强或密封处理。

6.3.2 地漏应安装在地面最低处，地漏杯口不得高于地面结构面；杯口周围与地面结构面结合部位的缝隙宜采用水泥基渗透结晶型混凝土缺陷修补或快速堵漏材料嵌填密实；附加层与防水层应在地漏杯口周围紧密粘结。

6.3.3 穿透防水层的管道周围与结构面结合部位的缝隙宜采用水泥基渗透结晶型混凝土缺陷修补或快速堵漏材料嵌填密实；设置套管时，套管内应用柔性密封胶进行防水密封处理。

6.3.4 厨房操作间、厕浴间门槛部位装饰层与防水层之间的构造层应具有防水功能，各层粘结紧密，并应与室内防水层连接闭合。干湿区域地面的完成面在同一标高时，室内防水层应覆盖、包裹干湿区域分界部位设置的挡水坎。

6.4 水池防水工程

6.4.1 水池池体抹内掺水泥基渗透结晶型防水剂的水泥防水砂浆时，应作界面处理，水泥防水砂浆应分层抹压，每层厚度不宜大于10mm，层与层之间应粘结紧密牢固。

6.4.2 水池池底管道层第一道防水层应涂、抹在池底结构层上，在立面上返高度高出水池池底装饰面层不应小于100mm，第二道防水层在池壁部位与第一道防水层应连接闭合成整体。

6.5 其他防水工程

6.5.1 采用水泥基渗透结晶型防水材料的桥梁、水利、海工等工程防水施工，应根据工程类型和特点采取相应的施工工艺。

6.5.2 桥梁、水利、海工等工程细部防水构造施工应符合本标准和国家现行有关标准的规定。

6.6 修补堵漏工程

6.6.1 正在渗漏的工程宜先采取止水或临时引水、排水措施，再进行堵漏和修复施工。

6.6.2 施工缝及大于0.2mm的混凝土结构裂缝，应沿缝切割或剔凿成宽20mm、深25mm的凹槽，清理干净、喷水湿润后，涂刷水泥基渗透结晶型防水涂料，随即采用水泥基渗透结晶型混凝土缺陷修补材料嵌填压实。

6.6.3 混凝土孔洞、蜂窝、夹渣、疏松等缺陷应剔凿至坚实部位，清理干净、喷水湿润后，涂刷水泥基渗透结晶型防水涂料，再用水泥基渗透结晶型混凝土缺陷修补材料嵌填压实；缺陷较大部位也可采用内掺水泥基渗透结晶型防水剂的细石混凝土、水泥灌浆料或防水砂浆塞填密实、抹压平整。

6.6.4 变形缝渗漏治理，采用柔性密封材料嵌填时，缝内应铺设背衬材料，柔性密封材料与缝两侧应粘结牢固，封闭严密。

6.6.5 穿墙（板）管根部位渗漏，管根周围应剔凿成宽 20mm、深 25mm 的凹槽，凹槽及管道根部四周 300mm 范围内清理干净、用水湿润后，凹槽内嵌填水泥基渗透结晶型混凝土缺陷修补或快速堵漏材料，面层清理范围内应涂刷水泥基渗透结晶型防水涂料。

6.6.6 混凝土表面采用涂布水泥基渗透结晶型防水涂料治理渗漏时，混凝土缺陷应进行处理，表面应进行打毛和清理干净。

6.6.7 正在渗漏的部位，应采用水泥基渗透结晶型快速堵漏材料或化学注浆封堵等措施止水后，再涂刷水泥基渗透结晶型防水涂料及水泥基渗透结晶型混凝土缺陷修补材料等进行面层防水处理。

7 质量验收

7.1 一般规定

7.1.1 水泥基渗透结晶型防水材料防水工程验收时，应提交下列归档资料：

1 防水施工单位专业资质证书及作业人员上岗证书。

2 防水工程的设计文件、图纸会审记录、设计变更书、洽商记录等。

3 防水材料产品合格证、质量检验报告和现场抽样复检报告。

4 防水施工方案及技术、安全交底资料。

5 防水施工质量控制、检验记录。

6 隐蔽工程验收记录。

7 其他相关质量记录或文件。

7.1.2 水泥基渗透结晶型防水材料进场验收应符合下列规定：

1 对材料的品种、规格、包装、外观等应进行检查验收，并应经监理工程师确认，形成相应的验收报告。

2 对材料的质量证明文件应进行检查，并应经监理工程师确认，纳入工程技术档案。

3 材料见证抽样、送检复验项目应符合下列规定：

1）水泥基渗透结晶型防水涂料复验项目应包括抗折强度、粘结强度、抗渗性等。

2）水泥基渗透结晶型防水剂复验项目应包括抗压强度比、收缩率比、抗渗性等。

3）水泥基渗透结晶型混凝土缺陷修补和快速堵漏材料复验项目应包括抗压强度、抗折强度、粘结强度、试件抗渗压力等。

7.1.3 水泥基渗透结晶型防水涂料用于混凝土结构表面涂布时，

厚度应符合国家现行有关标准的规定。

7.1.4 水泥基渗透结晶型防水材料检验批应符合下列规定：

1 水泥基渗透结晶型防水涂料和防水剂每50t为一检验批次，不足50t应作为一批计。

2 水泥基渗透结晶型混凝土缺陷修补和快速堵漏材料每10t为一检验批次，不足10t应作为一批计。

7.1.5 涂料防水层分项工程检验批的抽样检验数量，应按涂层面积每100m^2抽查1处，每处10m^2，且不得少于3处；细部构造应全数检查。

7.1.6 超过有效期的水泥基渗透结晶型防水材料应重新进行检验，检验合格后仍可允许使用。

7.2 地下防水工程

Ⅰ 主控项目

7.2.1 水泥基渗透结晶型防水材料及配套材料的质量，应符合设计要求。

检验方法：检查出厂合格证、质量检验报告和现场抽样复验报告。

7.2.2 防水涂层的平均厚度应符合设计要求，最小厚度不得小于设计厚度的90%。

检验方法：用测厚仪检测或针测法、取样测量。

7.2.3 防水混凝土应密实，不得有0.2mm以上贯通裂缝，混凝土结构质量和外观质量应符合国家现行有关标准的规定。

检验方法：观察检查、刻度放大镜检查和检查隐蔽工程验收记录。

7.2.4 防水层在变形缝、穿墙管道、后浇带等细部构造应符合设计要求。

检验方法：观察检查和检查隐蔽工程验收记录。

7.2.5 防水标准应符合对应防水等级的标准规定。

检验方法：雨后观察，具备条件和必要时，顶板应进行蓄水检查。

Ⅱ 一般项目

7.2.5 涂料防水层的基层应坚实、平整、干净、湿润，不得有浮浆、空鼓、松动、起砂等现象；基层转角部位处理应符合设计要求。

检验方法：观察检查和检查隐蔽工程验收记录。

7.2.6 水泥基渗透结晶型涂料防水层与基面应粘结牢固，涂布均匀，不得有起粉、空鼓、翘起现象。

检验方法：观察检查。

7.3 室内防水工程

Ⅰ 主控项目

7.3.1 水泥基渗透结晶型防水材料及配套材料的质量，应符合设计要求。

检验方法：检查出厂合格证、质量检验报告和现场抽样复验报告。

7.3.2 防水层在阴阳角、地漏、门槛及穿透防水层管道等细部防水构造，应符合设计要求。

检验方法：观察检查和检查隐蔽工程验收记录。

7.3.3 地面不得有积水现象，向地漏找坡的坡度应符合设计要求。

检验方法：用坡度尺测量及淋水检查。

7.3.4 室内防水工程不得有渗漏现象。

检验方法：淋水、蓄水检查。

Ⅱ 一般项目

7.3.5 基层应坚实、平整、干净，不得有浮浆、空鼓、松动、起砂和积水现象；基层转角部位处理应符合设计要求。

检验方法：观察检查和检查隐蔽工程验收记录。

7.3.6 防水层与基面应粘结牢固，涂布均匀，平均厚度应符合设计要求，最小厚度不得小于设计厚度的90%。

检验方法：用测厚仪检测或取样测量。

7.3.7 内掺水泥基渗透结晶型防水剂的防水砂浆与基面应粘结牢固，不得有空鼓、开裂等现象。

检验方法：观察检查。

7.4 水池防水工程

Ⅰ 主控项目

7.4.1 水泥基渗透结晶型防水材料及配套材料的质量，应符合设计要求。

检验方法：检查出厂合格证、质量检验报告和现场抽样复验报告。

7.4.2 防水层在阴阳角、地漏及穿透防水层管道等细部防水构造，应符合设计要求。

检验方法：观察检查和检查隐蔽工程验收记录。

7.4.3 水池工程不得有渗漏现象。

检验方法：蓄水检查。

Ⅱ 一般项目

7.4.5 基层应坚实、平整、干净，不得有浮浆、空鼓、松动、起砂和积水现象；基层转角部位处理应符合设计要求。

检验方法：观察检查和检查隐蔽工程验收记录。

7.4.6 防水层与基面应粘结牢固，涂布均匀，平均厚度应符合设计要求，最小厚度不得小于设计厚度的90%。

检验方法：用测厚仪检测或取样测量。

7.4.7 内掺水泥基渗透结晶型防水剂的防水砂浆与基面应粘结

牢固，不得有空鼓、开裂等现象。

检验方法：观察检查。

7.5 其他防水工程

Ⅰ 主控项目

7.5.1 水泥基渗透结晶型防水材料及配套材料的质量，应符合设计要求。

检验方法：检查出厂合格证、质量检验报告和现场抽样复验报告。

7.5.2 防水混凝土结构质量和外观质量应符合国家现行相关标准的规定。

检验方法：观察检查和检查隐蔽工程验收记录。

7.5.3 防水层在阴阳角及穿透防水层管道等细部防水构造，应符合设计要求。

检验方法：观察检查和检查隐蔽工程验收记录。

Ⅱ 一般项目

7.5.4 基层应坚实、平整、干净，不得有浮浆、空鼓、松动、起砂等现象；基层转角部位处理应符合设计要求。

检验方法：观察检查和检查隐蔽工程验收记录。

7.5.5 防水层与基面应粘结牢固，涂布均匀，平均厚度应符合设计要求，最小厚度不得小于设计厚度的90%。

检验方法：用测厚仪检测或取样测量。

7.6 修补堵漏工程

Ⅰ 主控项目

7.6.1 水泥基渗透结晶型防水材料及配套材料的质量，应符合设计要求。

检验方法：检查出厂合格证、质量检验报告和现场抽样复验报告。

7.6.2 修补堵漏后工程的防水效果应符合相应防水等级规定的防水标准。

检验方法：观察检查，具备条件时应淋水、蓄水检查。

Ⅱ 一 般 项 目

7.6.3 基层应坚实、平整、干净，不得有浮浆、空鼓、松动、起砂等现象。

检验方法：观察检查和检查隐蔽工程验收记录。

7.6.4 防水层与基面应粘结紧密，涂布均匀，平均厚度应符合设计要求，最小厚度不得小于设计厚度的90％。

检验方法：用测厚仪检测或取样测量。

本标准用词说明

1 为方便在执行本标准条文时区别对待，对要求严格程度不同的用词说明如下：

1） 表示很严格，非这样做不可的用词：

正面词采用“必须”，反面词采用“严禁”。

2） 表示严格，在正常情况下均应这样做的用词：

正面词采用“应”，反面词采用“不应”或“不得”。

3） 表示允许稍有选择，在条件许可时首先应这样做的用词：

正面词采用“宜”，反面词采用“不宜”。

4） 表示有选择，在一定条件下可以这样做的用词，采用“可”。

2 本标准中指明应按其他有关标准执行的写法为：“应符合……的规定”或“应按……执行”。

引用标准名录

1 《地下工程防水技术规范》GB 50108
2 《混凝土结构工程施工质量验收规范》GB 50204
3 《地下防水工程质量验收规范》GB 50208
4 《混凝土结构工程施工规范》GB 50666
5 《水泥基渗透结晶型防水材料》GB 18445
6 《无机防水堵漏材料》GB 23440
7 《地下工程渗漏治理技术规程》JGJ/T 212
8 《住宅室内防水工程技术规范》JGJ 298
9 《建筑防水工程现场检测技术规范》JGJ/T 299
10 《水利水电工程混凝土防渗墙施工技术规范》SL 174
11 《水工混凝土结构缺陷检测技术规程》SL/T 713
12 《铁路桥梁混凝土桥面防水层》TB/T 2965

中国建筑学会标准

水泥基渗透结晶型防水材料应用技术标准

T/ASC 21－2021

条文说明

制订说明

《水泥基渗透结晶型防水材料应用技术标准》T/ASC 21－2021，经中国建筑学会2021年6月22日以建会标〔2021〕16号函文批准发布。

本标准制订过程中，编制组进行了广泛的调查研究，总结了我国水泥基渗透结晶型防水材料应用技术的实践经验，同时参考了相关先进技术法规、技术标准，通过试验取得了重要技术参数。

为便于广大检测、设计、施工、科研、学校等单位有关人员在使用本标准时能正确理解和执行条文规定，本标准编制组按章、节、条顺序编制了本标准的条文说明，对条文规定的目的、依据以及执行中需注意的有关事项进行了阐释。需要注意的是，本条文说明不具备与标准正文同等的法律效力，仅供使用者作为理解和把握标准规定的参考。

目　次

1 总　　则

1.0.1 水泥基渗透结晶型防水材料包括用于水泥混凝土防水、混凝土缺陷修补和快速堵漏的刚性防水材料，其与水作用后，材料中含有的活性化学物质以水为载体在混凝土中渗透并与水泥水化物反应生成不溶于水的结晶体，填充毛细孔道和微细缝隙，提供长久、有效的微裂缝自修复能力，从而提高混凝土致密性、抗冻融、耐腐蚀性、耐久性，达到与结构同寿命的防水效果。

根据国内外大量的建筑物应用实例，已经充分证明了水泥基渗透结晶型防水材料在建设工程防水中的优越性和可靠性，水泥基渗透结晶型防水材料的技术伴随着我国城镇化建设的加速和建筑防水技术的提高也在不断发展与进步，但是水泥基渗透结晶型防水材料应用技术却不能与之相适应，使水泥基渗透结晶型防水材料在工程中的设计、施工、验收等缺乏系统的、可靠的、有针对性的标准依据，束缚了水泥基渗透结晶型防水材料的发展、推广与应用。本标准的编制目的，是为了规范水泥基渗透结晶型防水材料的应用技术，促进刚性防水技术发展，提升防水工程质量。

1.0.2 水泥基渗透结晶型防水材料适用于新建与既有的建筑、市政、水利、交通及海工等工程中混凝土结构的防水，包括混凝土结构内掺后形成致密、抗裂、不渗漏的防水混凝土，在混凝土结构表面涂布、形成不渗漏的刚性防水层，混凝土结构有蜂窝、孔洞、不密实、裂缝等缺陷以及混凝土结构渗漏后用于嵌填、堵漏与面层的处理等。

1.0.3 本标准应用技术体现了技术的先进性和创新性，有利于水泥基渗透结晶型防水材料推广与应用，有利于提高防水工程质量。

2 术　　语

2.0.1 水泥基渗透结晶型防水材料为水泥基渗透结晶型防水涂料、水泥基渗透结晶型防水剂、混凝土缺陷修补用水泥基渗透结晶型材料和混凝土快速堵漏用水泥基渗透结晶型材料的统称，用于混凝土防水、缺陷修补和堵漏的刚性材料。产品中的活性化学物质在水的作用下催化混凝土中水泥和其他化学物质或以水为载体在混凝土中渗透，反应产生不溶于水的结晶体，填充和封堵混凝土凝固后形成的孔隙、毛细管道和细微裂缝，阻止水和其他液体渗入混凝土结构内部，增强混凝土的抗侵蚀能力和提高混凝土的耐久性。

2.0.6 先撒施工在混凝土浇筑前，将粉料均匀撒布在混凝土垫层上；后撒施工在混凝土浇筑后初凝前将粉料均匀撒布在混凝土面层上，并抹压到混凝土面层内。

3 基本规定

3.0.1 本条规定了水泥基渗透结晶型防水材料适用于混凝土结构的防水工程。无论内掺还是表面涂覆，均可达到“不允许渗水，结构表面无湿渍”的防水设防要求。要达到“不允许渗水，结构表面无湿渍”的防水效果，应按本标准规定从产品质量、防水构造设计、施工、管理等方面严格把控，确保每一个与防水质量相关的环节都应符合标准的规定。

3.0.3 防水混凝土结构只要做到抗渗和无贯穿裂缝，就不会渗漏。防水混凝土内掺水泥基渗透结晶型防水剂后，其中的活性化学物质在水的作用下催化混凝土中水泥和其他化学物质产生不溶于水的结晶体，填补和封堵混凝土固化后形成的孔隙、毛细管道和细微裂缝，增加了防水混凝土的致密性和抗裂性。防水混凝土从配比、搅拌、运输、浇筑、振捣到养护整个施工的全过程，应严格控制质量，保证混凝土整体浇筑质量，达到地下工程“不允许渗水，结构表面无湿渍”的防水效果是完全可以做到的。

防水工程是系统工程，质量保证是综合性的。就防水混凝土质量来说，只有做到配比准确、搅拌均匀、振捣密实、养护到位、细部构造采取复合增强防水措施、强度与抗渗等级符合现行国家标准《地下工程防水技术规范》GB 50108、《混凝土结构工程施工质量验收规范》GB 50204 、《地下防水工程质量验收规范》GB 50208、《混凝土结构工程施工规范》GB 50666 等相关规定和设计要求时，才能使防水混凝土达到“不允许渗水，结构表面无湿渍”的防水效果。

3.0.4 水泥基渗透结晶型防水涂料可单独作为防水混凝土表面的防水层，通过严格选材、加强施工过程质量控制，防水效果可以满足不渗不漏的要求。在工程使用中，也有采用水泥基渗透结晶型防水涂料与其他相容的防水材料复合使用的做法，起到防水增强作用，与其单独作为防水层的可靠性没有必然联系。

3.0.5 刚性防水材料用于防水工程在国内外应用的案例非常多，但是由于我国对刚性材料应用技术缺乏相应标准支撑，在实际使用时对重大、特殊和技术复杂的防水工程，应组织专家进行专题论证，从材料选用、设计、施工、管理等方面确保防水工程质量。

4 材　料

4.0.2 防水材料是保证防水工程质量的基础，水泥基渗透结晶型防水材料有很多的独有特性和优点，但不是所有叫“水泥基渗透结晶型防水材料”的都具备同样的特性和优点。建筑市场水泥基渗透结晶型防水材料很多，从大量工程案例中我们看到，凡是采用水泥基渗透结晶型防水材料、防水效果好、质量符合设计要求和规范规定的防水工程，均是采用了质量可靠、信誉高的知名品牌。本条对水泥基渗透结晶型防水材料性能指标做出了规定，作为选用材料的技术标准和建设单位、使用单位在选用水泥基渗透结晶型防水材料时的重要依据。

水泥基渗透结晶型防水材料、水泥基渗透结晶型防水剂试验方法按照现行国家标准《水泥基渗透结晶型防水材料》GB 18445 规定。

4.0.3 混凝土缺陷修补用水泥基渗透结晶型材料试验方法按照《无机防水堵漏材料》GB 23440—2009 中缓凝型（Ⅰ型）试验方法，混凝土快速堵漏用水泥基渗透结晶型材料试验方法按照《无机防水堵漏材料》GB 23440—2009 中速凝型（Ⅱ型）试验方法。

4.0.4 采用水泥基渗透结晶型防水材料工程的防水效果，与其他防水密封材料也有密切关系，比如工程中选用的止水带、遇水膨胀止水条（胶）、密封胶等配套材料或与防水相关材料，其性能指标均应符合设计要求与相关标准的规定，才能保证防水工程整体质量。

5 设　　计

5.1 一 般 规 定

5.1.2 刚、柔防水材料各有优势，水泥基渗透结晶型防水材料可以用于混凝土结构和防水砂浆内掺，同时水泥基渗透结晶型涂料防水层既可设在结构的迎水面，亦可设在结构的背水面。做法多样性，应保证防水层形成完整、连续、闭合的防水体系，尤其是内外防水层转换时，交接部位防水层必须连接闭合。

防水工程的细部构造应采用多道复合防水加强措施，细部构造的防水密封材料选用应因地制宜，需要用柔性材料的部位必须选用柔性材料，易变形部位如变形缝的防水密封，止水带就必须满足适应变形的要求。

5.1.3 水泥基渗透结晶型防水材料分为水泥基渗透结晶型涂料、水泥基渗透结晶型防水剂、混凝土缺陷修补材料和速凝堵漏材料等类型，在工程应用中应根据材料使用功能、使用方法和使用部位选用。水泥基渗透结晶型防水剂也可掺入水泥砂浆中使用。

5.1.4 本条对水泥基渗透结晶型防水材料与其他防水材料复合使用时提出了相关规定：

材料之间具有相容性，不得出现有害的化学反应和物理破坏，比如水泥基渗透结晶型涂料防水层上不应采用溶剂型涂料做防水层，因为溶剂型涂料浸透水泥基渗透结晶型涂料防水层，限制和束缚了水泥基渗透结晶型涂料的渗透性，使其失去原有的特性；水泥基渗透结晶型涂料防水层很薄，在上面采用热熔法铺贴卷材，高温烘烤也会使其失去原有的特性。

水泥基渗透结晶型材料形成的是刚性防水层，依据水泥基渗透结晶型涂料的防水机理，应设置在混凝土结构层上，不得设置在柔性材料防水层上，保证更好发挥防水作用。

5.2 地下防水工程

5.2.1 地下工程防水设防应根据工程的结构形式、特点、重要性和施工方法等因素确定，表5.2.1地下工程防水构造做法选用表体现了水泥基渗透结晶型防水材料的重要特性和先进的应用技术。

1 水泥基渗透结晶型防水材料中有两种主要防水材料，一是掺入防水混凝土拌合物中使用的水泥基渗透结晶型防水剂，二是涂刷或喷涂在水泥混凝土表面、亦可直接用于平面部位干撒施工的水泥基渗透结晶型防水涂料。这两种材料用于防水工程时，从设计、选材、施工、管理等方面严格执行本标准，单独使用或复合使用在混凝土结构的防水工程中，均可达到“不允许渗水，结构表面无湿渍”的防水设防要求。

2 防水混凝土内掺水泥基渗透结晶型防水剂，在工程应用中根据结构混凝土厚度，可采用三种构造做法：

1） 所有防水混凝土均内掺水泥基渗透结晶型防水剂。

2） 防水混凝土迎水面不低于250mm厚度范围内掺水泥基渗透结晶型防水剂，其他部位防水混凝土可不掺水泥基渗透结晶型防水剂。

3） 当防水混凝土较厚时，可以采用迎水面或背水面厚度不低于250mm范围内掺水泥基渗透结晶型防水剂，其余的防水混凝土可不内掺水泥基渗透结晶型防水剂。

防水混凝土是否采用分层内掺水泥基渗透结晶型防水剂做法，应根据具体工程情况确定，应具有施工可操作性、经济合理性和安全可靠性。

3 水泥基渗透结晶型防水涂料用于地下工程底板时，可刷涂或喷涂在混凝土表面，也可采用迎水面干撒水泥基渗透结晶型防水涂料的做法。迎水面干撒水泥基渗透结晶型防水涂料的做法，在实际工程施工中应用已经很普遍了，干撒的水泥基渗透结晶型防水涂料与底板迎水面混凝土拌合物混合在一起，形成一道刚性防水层，产生结晶并随水分向混凝土结构内部渗透，封堵裂缝，形成立体式防水构造。施工方法是在结构底板浇筑前 2h 即可进行干撒施工，并宜在结构底板浇筑前 30min 干撒结束。干撒时间提前过早会影响成品保护，结束时间太短可能会影响后道工序施工。

对防水要求严格的底板，可采用防水增强措施，防水构造：防水混凝土底板＋迎水面干撒水泥基渗透结晶型防水涂料＋背水面干撒水泥基渗透结晶型防水涂料随撒随抹。

4 耐根穿刺防水层设置在普通防水层上面的目的是防止植物根系刺破防水层，采用内掺水泥基渗透结晶型材料的种植顶板可以免做其他耐根穿刺防水层。一般情况下，当土壤中 pH 值达到 8 时，植物就难以生存；混凝土 pH 值在 12 以上，只要混凝土不出现贯通裂缝，植物根系就不可能伸入到混凝土内。种植顶板防水混凝土选用水泥基渗透结晶型材料，增加了防水混凝土的致密性、抗裂性和耐根穿刺性。如果种植顶板选用耐根穿刺卷材防水层时，宜选用与基层适应性好、粘结紧密、不蹿水、施工方便的聚乙烯丙纶卷材耐根穿刺卷材与聚合物水泥防水胶结料粘结，组成具有耐根穿刺功能的复合防水层。

6 施　　工

6.1 一般规定

6.1.2 防水施工前，工程总包方、专业施工单位、工程监理单位等与防水工程相关方面应对图纸进行会审，熟悉防水设计方案和相关要求；专业施工队伍编制防水施工方案时，应对防水设计进一步细化和深化，经监理单位或建设单位等审核后实施，实施前应对操作人员进行安全培训和技术交底。

6.1.6 水泥基渗透结晶型防水剂可掺入到有防水要求的混凝土内，配制成结构自防水混凝土；同时也可以掺入到有防水要求的水泥砂浆中，配制成水泥防水砂浆。本条文规定了水泥基渗透结晶型防水剂掺入到防水混凝土的施工做法。

1 水泥基渗透结晶型防水剂可以在搅拌站添加，也可以在施工现场进行添加。在什么地方添加，应根据工程具体情况和相关条件来确定。

2 采用混凝土搅拌运输车到达工地现场添加水泥基渗透结晶型防水剂的施工方法时，基本操作流程如下：

1）防水材料供应单位现场负责人应配合施工单位试验员对防水混凝土的工作性能进行抽检。

2）防水材料供应单位专业工人根据配比实验的添加量和防水混凝土量准确称量防水剂粉料用量，并按照设计的比例将防水剂粉料与水配制成浆料。

3）由防水材料供应单位专业工人将配制好的防水剂浆料倒入混凝土搅拌运输车搅拌罐内。

4）添加浆料后的混凝土搅拌运输车搅拌不应小于 5min，确保防水剂在混凝土中分布均匀。

5）防水剂添加全过程应采取复核、记录的措施，并在添加记录单上填写项目名称、施工部位、施工日期、混凝土搅拌运输车车号、防水混凝土方量、防水剂添加量及添加时间、添料人员签字。

3 采用混凝土搅拌站添加水泥基渗透结晶型防水剂的施工方法时，应提前将物料整齐堆放到指定添料位置，防水材料供应单位应至少安排两名专业工人组成添料小组，一人为核算员，准确计算添加用量，另一人为操作员，负责称料、添加等实际操作。基本操作流程如下：

1） 每盘防水混凝土搅拌前，由核算员告知添料人员准备配制的混凝土准确方量，操作员负责将称量好的防水剂粉料通过外加剂加料管道或骨料传送带送至搅拌仓内，防水剂粉料进入搅拌仓后，应先与混凝土干混料在搅拌仓搅拌 2min～3min，再加入水进行湿搅拌，按照混凝土规定的搅拌时间操作。

2） 核算员应在混凝土小票上标注刚性防水剂字样，操作员应及时填写防水剂添料记录单，记录单上应体现项目名称、施工部位、施工日期、混凝土搅拌运输车车号、防水混凝土方量、防水剂添加量及添加时间，操作员应签字。

3） 混凝土搅拌站的防水材料添料小组应始终与防水材料供应单位现场负责人保持沟通，确保添加防水剂的混凝土搅拌运输车及时到达工地，并浇筑到指定的部位。

4 施工是保证防水质量的关键，本款明确规定内掺水泥基渗透结晶型防水剂的防水混凝土浇筑和防水砂浆的施工应符合相关标准规定，规范施工，管理到位。

5 防水混凝土养护非常重要，本条文规定了什么时间开始养护、养护方法和养护最少时间，防水砂浆的养护也应符合相关规定。

6.1.8 本条文规定 5℃以下不宜进行水泥基渗透结晶型涂料湿作业施工，主要考虑 0℃～4℃之间是冰水混合物的临界温度，材料无法在混凝土结构表面施工应用。

6.2 地下防水工程

6.2.1 有降水要求的地下工程，降水工作应持续至防水层施工质量验收合格后和主体结构施工完成、回填土完成并满足抗浮要求；室内设置房心土时，应在降水停止后检查底板、侧墙无渗漏时回填。

6.2.2 底板迎水面干撒水泥基渗透结晶型防水涂料，过早进行会造成粉料层受潮固结，不能均匀与混凝土混合在一起；或被风刮起，造成厚薄不均，同时也会扬尘，所以只要工序满足施工，干撒时间尽量不要提前过早。底板背水面和顶板迎水面干撒水泥基渗透结晶型防水涂料施工，时间一定要严格掌握好，应在混凝土初凝前进行干撒，随撒随抹，将水泥基渗透结晶型防水涂料的粉料抹压到混凝土内。

6.6 修补堵漏工程

6.6.2 影响结构安全的裂缝及孔洞、蜂窝麻面等缺陷，可选用水泥基渗透结晶型防水涂料、水泥基渗透结晶型混凝土缺陷修补或快速堵漏材料修补，施工主体应由结构施工单位或专业的结构补强公司进行修复。

7 质 量 验 收

7.1 一 般 规 定

7.1.2 水泥基渗透结晶型防水涂料、水泥基渗透结晶型防水剂复验项目中抗渗性，是复验砂浆抗渗性能还是混凝土抗渗性能，由供需方根据具体工程商定。